U0337349

迷你露天咖啡馆

敞亮的露天咖啡馆营业中！精巧的杯子里满载着用花蜜与花粉用心制作而成的甜点，真让人移不开视线！

这家咖啡馆让人感觉轻松愉快，大家都非常乐意进店消费。这不，吸引了各种各样的客人在店内用餐呢。

白山老鹳草与象鼻虫

西南卫矛与黑足黑守瓜

春飞蓬与鲣节虫

中日老鹳草与黑色小瓢虫

五桠果酢浆草 / 直酢浆草与花蜂

鹅掌草与食蚜蝇

中日老鹳草与细腹食蚜蝇

酢浆草与花蜂

酢浆草与蓝灰蝶

乌蔹莓与蚁

美洲商陆与蓝灰蝶

日本白花蛇莓与蝇

各种各样的昆虫，每天都要光顾咖啡馆。
"我吃饱了，谢谢招待。"
"乐意效劳，欢迎再次光临。"
雄蕊轻轻拍打正准备离开的客人的肩膀。

稚儿车与蜂蝇

多被银莲花与
黑色小瓢虫

雏菊与白天活动的
锚纹蛾

荞麦与蚊

西南卫茅与蝇

戟叶蓼与宽盾蚜蝇

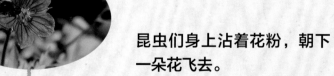

中日老鹳草与花蜂

昆虫们身上沾着花粉，朝下
一朵花飞去。
就这样，昆虫客人们完成了
这一次的支付啦。

戟叶蓼与黑色小瓢虫

自然侦探团
ZIRAN ZHENTANTUAN

欢迎光临花餐厅
ようこそ!花のレストラン

目录

[日]多田多惠子/著 光合作用/译 博得自然/审订

CTS | K 湖南科学技术出版社

花朵的构造与昆虫的宴飨

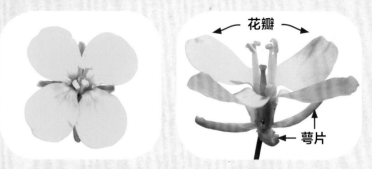

这是油菜花的花朵。花瓣和萼片各有 4 枚。

花萼起到了支撑花瓣的作用。

花朵正中间的是雌蕊，围绕在雌蕊周围长长短短共 6 根的是雄蕊。

雄蕊含有黄色的花粉。

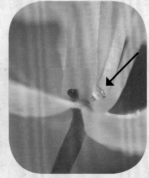

在花瓣的着生处，透明的液滴熠熠生辉。

这就是花蜜。尝一口，是甜甜的味道。

绿色的结状物是蜜腺。

蜜腺能分泌花蜜。

（为了方便展示，照片中已事先摘除最近处的花瓣。）

春风吹呀吹，吹开了一片片黄灿灿的油菜花。

油菜花的种子可以作为食用油的原料。

花粉和花蜜，就是鲜花餐厅的招牌菜啦。

餐厅一开门，立即迎来了一位客人。

这是口器短的黑带食蚜蝇，它一边舐吸着花粉，一边发出"真美味呀"的赞叹。

"蜜汁真是太好喝啦。"菜粉蝶将长长的吸管插入花朵，享受美味的花蜜。

日本蜜蜂也展开长长的口器，吸食花蜜。

为了哺育蜂巢里的幼虫们，还得顺带打包一份花粉呢。于是，日本蜜蜂将花粉搓成丸子，附着在后腿上带走。

昆虫们在花朵之间飞来飞去，身体也沾上了花粉。

昆虫离开之后，雌蕊的柱头[1]上，会像这样沾上花粉。

1 柱头是雌蕊的一部分，用于接收花粉。

柱头
子房
胚珠

现在，让我们沿着柱头向下探索吧。柱头的下面，有一个鼓鼓的地方，会发育成为果实。这就是子房。

让我们切开子房，一探究竟吧。

这里排列着一排颗粒物，它们像珍珠一样闪闪发光，这就是胚珠，是婴儿时期的种子哦。

花粉落到柱头上后，会萌发出花粉管，花粉管再延伸到一个个胚珠内部。于是，受精[1]过程就开始啦，胚珠会慢慢发育成种子。

与此同时，子房会慢慢膨大，发育成种荚。

 →  →

果实里藏着种子。

就这样，花朵结成了种荚，有了种子。为了繁衍后代，花朵们才一次次地绽放。

要顺利地完成这项重要使命，昆虫们成了不可缺少的助手。

昆虫们在花朵之间来回奔忙，运送花粉。接收了各种各样花粉的花朵，就能孕育出拥有各种特性的种子了。

油菜花的种子

1 种子植物的受精是指花粉管延伸到胚珠内部，释放出精子和胚珠里的卵细胞结合的过程。

人眼所见到的油菜花

其实，在昆虫们眼里的油菜花，和我们所见到的景象，是有点儿不同的。

昆虫眼里呈现的影像

上面的第二张图是紫外线摄像机所拍摄出来的照片。紫外线是人眼看不见的。

昆虫的眼睛可以看见紫外线，所以，花朵的中心部位在它们的眼睛里呈现出了不一样的颜色。这就形成了明显的标识，相当于在告诉昆虫们："这里有美味的食物哦"。

如何从别的植株获取花粉

为了得到拥有各种特性的种子，植物们可谓煞费苦心。

● 雄花与雌花异株

桃叶珊瑚的雄花

桃叶珊瑚的雌花

桃叶珊瑚雌雄异株，如果没有昆虫帮忙传送花粉的话，就无法结出果实。

● 雄蕊与雌蕊的成熟期错开

日本厚朴的雌性期

日本厚朴的雄性期

日本厚朴的花初开时，雌蕊会呈展开状态，而当雌蕊闭合之后，雄蕊才会展开。这样就可以避免自花授粉[1]。

---

1 授粉是指雌蕊的柱头沾上花粉。

黄色的
家庭餐厅

宽敞明亮的店里，充满了用花蜜与花粉制成的美食。

"欢迎光临，请随意就座用餐。"

这是如同阳光般耀眼的花朵。

不论是为了畅饮花蜜而来的蝶类，还是为了享用花粉而光顾的其他客人，大家都不约而同地聚集在这间家庭餐厅里。

黄色，是美味佳肴的标志性颜色。

花朵们为了突显自己，把花瓣也涂饰成黄色。

"请吃得饱饱的。"

落在向日葵花朵上的
意大利蜂

落在向日葵花朵上的
直纹稻弄蝶和花金龟

大吴风草的花上，同时迎来了几位客人。它们分别是：
小红蛱蝶、黑弄蝶、黄粉蝶、蝇。

向日葵、蒲公英是菊科植物。它们的花朵是由众多的小花聚集组成的。顶端卷曲的，就是雌蕊。

关东蒲公英与日本蜜蜂　　　　　　关东蒲公英与红灰蝶　　　　　　关东蒲公英与花蜂

黄色的家庭餐厅在昆虫界十分受欢迎。不论是菊科、蔷薇科，还是毛茛科的植物，它们的花朵都长得像一个圆碗，花瓣由中间向四周舒展，仿佛向客人们发出邀请——"期待各位的光临"。

荷青花（罂粟科）与食蚜蝇

兔菊（菊科）与蜂蝇　　　薮蛇莓（蔷薇科）与花蜂　　　蛇莓（蔷薇科）与大蜂虻　　　匍枝毛茛（毛茛科）与花蜂

带有直升机停机坪的家庭餐厅

夏季的高原，猪独活的花正在盛开。它们的伞状花序就像绽放在天空的烟花。

小小的花朵们聚合在一起，形成了一座大大的直升机停机坪[1]。

"我们为客人们准备了足够的花蜜与花粉。来吧，请尽情地享用吧。"

在这座直升机停机坪里，到底聚集了多少种类和数量的昆虫呢？

狩猎蜂、叶蜂、姬蜂、中华虎天牛、花天牛、拟天牛、叩头虫、蝇、虻等，一共聚集了 20 只以上的昆虫。

伞形科的猪独活的花

1 直升机停机坪是指供直升机起降的圆形场地。

宽敞的直升机停机坪便于着陆，也方便辨认花蜜和花粉，即使是口器短的昆虫们也可以畅享美味。这是一间明亮、气氛愉悦的鲜花家庭餐厅。

疆前胡的花序上，降落的是蜂蝇与蝇。

降落在花楸花朵上的也是蜂蝇。

降落在黄花败酱的花序上的是花金龟和土蜂。

蜡莲绣球的花序上，光临的客人是豆金龟和赭弄蝶。

其他绣球的花朵外圈排列着一圈"装饰花"，向客人们发出邀请——"欢迎大家光临！"

刷子餐厅

朝着灰叶稠李花朵飞来的昆虫们

落在灰叶稠李花朵上的黑带食蚜蝇

春天的深山里，灰叶稠李的花朵盛开了。

蜂、蜂蝇和蝇等昆虫的到来，让这间试管刷形状的餐厅热闹非凡。

花蜜被倒在浅浅的盘子上，花粉也盛好了。

这样的话，不论是什么样的昆虫，都能大快朵颐。

就在这时候，雄蕊悄悄地把花粉粘在了昆虫们的身上。

春去夏来，果园里的栗子树盛开了无数的花朵。
盛开后形状像刷子一般的，是雄花。
栗子花独特的气味吸引了许多花金龟前来采食花粉。
就在它们沉醉于美食之中时，雄蕊们看准时机，"我沾！"就这样把花粉沾到花金龟的身上。
夜幕降临之后，这里就变成了夜间活动的蛾和甲虫的天堂了。

这就是栗子的雌花。白色的穗状物其实是雌蕊。到了秋天，会包裹上带刺的外壳，长成栗子的果实。

落在蚕茧草花朵上的是叉叶绿蝇与灰被管蚜蝇。

秋季的杂木林，单穗升麻正在盛花期。这里也是一间客人络绎不绝的家庭餐厅。

单穗升麻与大绢斑蝶

腹水草开出来的花也是刷子形的。图中的是熊蜂和不显口鼻蝇。

气味香甜的餐厅

吸食海桐雄花花蜜的意大利蜜蜂

花香，是花朵吸引客人们走进餐厅消费的一种广告手段。

这是海桐的花。它散发出香甜的气味，招揽蜂与蝶。

海桐是雌雄异株植物，图中的是雄株。

初开的花朵是雪白的，而后会逐渐变成奶黄色，直到凋谢。

这种颜色的变化，在能看得见紫外线的昆虫的眼里，会更加明显。

昆虫们会区分花朵的颜色，从而挑选花蜜含量高的初绽花朵光顾。

对于雄花来说，招待昆虫是次要的。它们的最终任务，其实是为了繁衍下一代。

"昆虫们，请帮我把花粉传递给其他植株上盛开的雌花吧。"

海桐的雌花

这是海桐的雌花，其雄蕊已经退化，不能产生花粉了。但是，"昆虫们，请进店品尝，我们有美味的花蜜哟。"

除了海桐的花，还有以下营业中的餐厅，也是主打香甜气味。

野蔷薇与小丸花蜂

丹桂与蜂蝇

天香百合与凤蝶

华东椴与日本蜜蜂

蜡梅与意大利蜜蜂

用细长高脚玻璃杯盛放蜜汁的餐厅

虽然百日菊与向日葵一样，都是菊科植物，但是百日菊的每一朵小花都有细长的花冠管。

停留在百日菊花朵上吸食花蜜的孔弄蝶

口器短的昆虫是无法享用这些花蜜的。

所以，拥有细长口器的蝴蝶们，成了这家餐厅的常客。

蝴蝶的口器能伸展成为长长吸管，而平时，它们会把口器一圈圈整齐地卷起来，这样就可以随身携带啦。

马缨丹与青凤蝶

马缨丹的每一朵小花，也像盛满了花蜜的细长高脚杯一般。

这些细长高脚杯，既有红色的，也有黄色的。

红色的其实是早一些开放的花朵。黄色的则是初开的花朵，正在满心期待着昆虫们的光临。

马缨丹的花朵初开时是黄色的，随着授粉完成，会变成红色。

蝴蝶们会挑选蜜汁充沛的黄色花朵光顾。

这对马缨丹来说，可以说是正中下怀了。因为这样可以让蝴蝶们更有效率地在花朵之间来回采食，帮助马缨丹授粉。

花序外圈的红色花朵，也没有闲着，它们现在被赋予宣传推广的重任——让花序显得更突出，以吸引昆虫们进店。

不管什么样的蝴蝶，都是识别花色标记的
高手哦。

马缨丹与斐豹蛱蝶

醉鱼草与凤蝶

高雪轮与菜粉蝶

"请享用甜美的蜜汁吧。"

细长的高脚杯上，
蝶们纷至沓来。

带有机关门的餐厅

这是春播翻耕前的田地，漫山遍野的紫云英散发着花香。

紫云英形同蝴蝶的小花围绕在一起开放。从表面上看，它既没有花蜜，也没有花粉。

其实，这些都暗藏在"机关"里面呢。

聪明的蜜蜂发现：只要紧紧抱着花不放，"嘿哟"一下，就能推开花瓣。

昆虫界的劳动模范——蜜蜂，把到手的花蜜盛宴变成了蜂蜜，一点一点地积累起来。

正在吸食花蜜的意大利蜜蜂

意大利蜂蜜

日本长须蜂

意大利蜜蜂和日本长须蜂"嘿哟"一下推开花瓣，于是，雄蕊和雌蕊都展露出来了。雌蕊挠着蜜蜂们的腹部，递出了自己的花粉。

紫云英的花朵构造

1

下部的花瓣里面，暗藏着雄蕊和雌蕊。

2

轻压下部的花瓣，雄蕊和雌蕊就一下子都展露出来了。仅有一根且稍长的是雌蕊。

3

这是把最靠近镜头的花瓣摘掉后的样子。好像是为了不让其他的昆虫知道似的，才把美味佳肴藏在花瓣里呢。

多花紫藤与木蜂

歪头菜与熊蜂

胡枝子与大丸花蜂

白车轴草与意大利蜜蜂

这些都是豆科植物。
豆科植物的花也被称为"蝶形花"。
花蜂是这些花朵的常客。

采蜜大盗来啦？！

叉枝莸有着十分独特的花朵。
它的雌蕊和雄蕊长长的，向上突起，
加上向两侧伸展的花瓣，整体看起
来就像展翅高飞的大雁。

唇形科的叉枝莸

在叉枝莸的花冠管里，藏着花蜜。
体型小巧的黄粉蝶正在吸食花蜜。
花朵纤细的花梗，因为蝴蝶的重量而微微弯曲。
但它的雄蕊和雌蕊是触碰不到蝴蝶的翅膀的。
黄粉蝶就这样，吸食完花蜜，就飞走了，不带走一
丝丝花粉。

体型稍大些的黑纹粉蝶过来吸食花蜜了。于是，花朵向下弯曲。

"啪"——雄蕊和雌蕊轻轻碰触到了黑纹粉蝶的翅膀。

"这样支付足够了吗？"

紧接着来访的，是身形庞大的木蜂。它直接把口器插进花冠管里吸食花蜜。这根本就是采蜜大盗啊！

"嗡嗡"——蜜蜂家族里的大个子木蜂来了。这重量让花朵下垂得更明显了。

雄蕊和雌蕊用力地拍了木蜂的背——"啪啪"！

"谢谢惠顾！"

看样子，这位顾客很实在，给足了费用。

劳动模范日本蜜蜂跟在木蜂后面，从木蜂打开的口子里继续偷吸花蜜。

鲜花高级餐厅的经营也是很艰难的，有来吃"霸王餐"的、还有来盗窃的……

竞技运动餐厅

丸花蜂的体能实在是太出众了！它们活跃在山野间盛开的美丽花朵之间，一会儿垂吊着……

一会儿钻进
花朵里……

铃铛铁线莲

香茶菜

瓜木

莲花升麻

小璎珞杜鹃

玉竹

野茉莉

红花鹿蹄草

日本扁枝越橘

油点草

锦带花

山鸢尾

野凤仙花

矮牵牛

铃子香

一会儿倒立……

一会儿爬墙……

深山龙胆

紫斑风铃草　　粉叶玉簪　　乌头

看起来，丸花蜂十分享受这一座座竞技运动场。而就在终点的所在位置，等待着它们的是鲜美的花蜜与花粉。然而，食蚜蝇们是进不了这一类餐厅的。没办法，只能舔一舔撒出来的花粉了……

鸢尾花

丸花蜂是花朵们的好朋友

丸花蜂家族的成员，各个都是优秀的运动选手。它们拥有超高的体能，在气温低的时候也能灵活地飞行。它们不仅能记住各种花的种类和所在的地方，还懂得选择在同种花之间来回采食。它们能高效率地搬运花粉，是鲜花餐厅十分欢迎的熟客[1]。所以很多花故意把自己进化成向下开放的样子，或是形成复杂的形状，为的就是把花蜜藏起来，只留给能够得着这些美味佳肴的丸花蜂家族成员。除了丸花蜂之外，体型稍小的长须蜂和小花蜂，也擅长竞技运动。

1 熟客是指常光顾的宾客。

能听见振翅声的餐厅

我们经常能在路边见到博落回。到了夏天，博落回会抽出比植株自身高出许多的花穗，开出白色的花朵。如果掰开花苞，花瓣就会掉落，露出穗状的雄蕊。

造访博落回花朵的虎丸花蜂和大花蜂

丸花蜂是这种花的熟客。它们是专为采集花粉而来的。有一个有趣的现象，只要丸花蜂抓住了花朵，它们就会开始振动小小的翅膀，发出声响。

"……嗡嗡嗡……"

这是一个叫作"振动采粉"的技巧。昆虫们收紧翅膀，振动飞行肌（带动翅膀的肌肉），这种振动传递到花朵之后，会引起雄蕊产生共振，从而抖落花粉，以达到采集花粉的目的。

如果把丸花蜂的振翅声音录下来，与钢琴的声音进行对比的话，那么它飞行时发出的振翅声是 mib[1]（31 赫兹），而振动采粉时的振翅声音大概是高八度的 la[2]（880 赫兹）的声音。

频繁振动翅膀的大丸花蜂

1 mib 是音乐中降半音的变音符号。　　2 高八度的 la 不像音叉那样单纯的声音，而是由复数的、不同音高的声音混杂在一起形成的。

在茄科植物北美刺龙葵的花朵上，齿彩带蜂正在施展它的特技。

"……嗡、嗡嗡嗡！"

它一下子就把花粉都振动下来啦！茄子和番茄这样的植物，雄蕊上的黄色花药呈筒状，花粉会从前端的小洞撒出。

只有拥有振动采粉技术的蜂家族成员们，才能像这样享用花粉的盛宴。

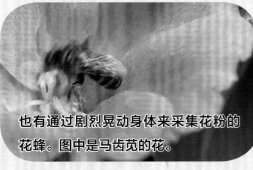

也有通过剧烈晃动身体来采集花粉的花蜂。图中是马齿苋的花。

东亚唐松草花朵上的日本蜜蜂也通过振动翅膀采集花粉。

让我们静下心来，倾听蜜蜂家族成员们振动翅膀的声音吧。也许你也能亲眼见到这些像玩偶般可爱的花蜂们表演特技或舞蹈呢！

何谓共振？

我们在做物理实验时，会使用到"音叉"，音叉会发出短而高或长而低的声音。如果让两个振动频率相同或成整数倍的音叉靠近，其中一个振动发声时，另一个也会因"共振"而发声。

蜜蜂们的振翅也能起到同样的作用。

丸花蜂也能对番茄的花进行"振动采粉"，帮助番茄授粉。

番茄种植者们通过在温室里放飞进口的西洋大丸花蜂，利用它振动采粉来提高番茄的坐果率。但是，有一部分西洋大丸花蜂逃逸到野外自行繁殖，有人担心它们会与原生种的丸花蜂产生生存竞争，对生态系统造成影响。

被引进到草莓温室里，帮助授粉的西洋大丸花蜂

粗鲁的昆虫最爱的餐厅

这种花的名字叫做羊乳。它那吊钟状的花朵带有优雅复古的色调，装点在秋天的山野之间。

哎呀，花朵正在摇曳。好像有客人光临了。请问是哪位呀？

呀！
让人不由自主缩回手的，正是极具攻击性的近胡蜂，它的身上沾上了雪白的花粉。

来到这朵花上的，是施氏黄胡蜂。让我们从花朵底部向上看，此时的胡蜂们是什么样子的吧。

胡蜂们是众所周知、名至实归的"暴徒分子"，但是，却是这些花朵重要的熟客。

胡蜂家族的成员会捕食昆虫，将其制作成丸子来哺育自己的幼虫。但是幼虫到了成年后，就会变成甜品热爱者，经常聚集起来吸食花蜜、树汁和果汁。

胡蜂拥有能撕咬肉类的发达上颚，虽然没有像蜜蜂那样拥有适合吸食花蜜的长口器，但是，胡蜂的成虫会聚集在一起吸食甜美的花蜜或树的汁液。胡蜂的色觉与那些将花蜜和花粉作为主食的花蜂不同。能被胡蜂所青睐的花朵，大多呈现白绿色、黄绿色、茶色、紫黑色这样朴素的颜色。

胡蜂家族的成员经常造访的花朵

吸食丹东玄参花蜜的施氏黄胡蜂。

外来物种刺果瓜花朵上的近胡蜂。

吸食毛果香茶菜花蜜的平长黄胡蜂。

吸食独活花蜜的近胡蜂。

凤蝶们的专属餐厅

皋月杜鹃与金凤蝶

皋月杜鹃上，金凤蝶正在吸食花蜜。雄蕊密切地触碰到金凤蝶的翅膀。这是一间只招待凤蝶家族的鲜花餐厅。

说起来，这与皋月杜鹃的花色不无关系。

对大多数昆虫来说，朱红色是很难识别的。但是，凤蝶家族的成员却对这个颜色十分敏感。

不论是花朵的形状和大小，对于凤蝶们来说都称心如意。

在花朵上方，散落着一些斑点，在斑点的中间位置，能看到颜色较浅的一处凹陷。这可是与花蜜相连的渠道入口哦。凤蝶们就是从这个地方插入吸管吸食花蜜的。

雄蕊的顶端有小孔，花粉会从这里随着纤细的线一起释放出来。看吧，金凤蝶的触角和脚上，已经沾上白色的花粉了。

红花石蒜与凤蝶

朱红色的花朵是凤蝶家族的专属餐厅。除了皋月杜鹃，红花石蒜和岩百合的花朵也是哦。

岩百合与德罕翠凤蝶

只开放一夜的
鲜花餐厅

夏天的傍晚。薄暮之下，
一朵，又一朵——餐厅
营业啦。

在花苞前面静静等待……就能看到骤然绽放的花朵。

营业时间，在日落后的 30 分钟之后。奶黄色的花朵，散发出宜人的香气。

"欢迎光临，本餐厅供应甜美的蜜汁。"

原产美洲的月见草

月见草的花朵下部是细长的花冠管，存有花蜜；花粉相连，形同项链。它在夜间开放、天亮凋谢，仅开放一夜。

客人们闻香而至。
这是带着长长吸管而来的蛾。
它的嘴巴和脚上都沾上了花粉。

第一位到店的是大主顾，
最快飞到的天蛾。

黄花月见草（柳叶菜科）与红天蛾

与此同时，栝楼也铺上了蕾丝桌布。它的花也仅开放一夜。

海州常山（唇形科）

亚洲文殊兰（石蒜科）

栝楼（葫芦科）也是在天色变暗后开花。
有雄花和雌花。图中的是雌花。

除了黄花月见草，其他图中的花都是白色的，具有强烈的香气，花朵底部有细长的花冠管，有长长的雄蕊，雄蕊上的花药呈"T"字形，是为了能让花粉沾到蛾的翅膀上。虽然这些花并不是亲戚，但是，为了迎合同样的客人，它们不约而同地进化出了相似的形态。

金银花（忍冬科）

鸟类专属餐厅

薮山茶是野生的山茶花，它的花朵可以从冬天开放到春天。这个时节昆虫很少，但是薮山茶用鲜艳的红色花朵吸引鸟类，并以充足而甜美的花蜜招待它们。

造访的是栗耳短脚鹎和绣眼鸟。栗耳短脚鹎有时候也会以悬停[1]的方式来吸食花蜜。为了能支撑住鸟儿们的重量，花瓣变得厚实而硬挺，而且为了方便鸟儿们吸食花蜜，花朵都是横向开放的。

栗耳短脚鹎停留在枝头，吸食花蜜。

1 悬停是指在空中保持空间位置基本不变的飞行状态。

绣眼鸟每天都要光顾薮山茶的花。它的花瓣上，会有发黑的小伤口，这就是绣眼鸟来过的证据。

↑ 绣眼鸟造访过的证据

吸食过花蜜的栗耳短脚鹎，满脸都是花粉。这样就可以把花粉运送到其他花朵上了。花瓣上留有绣眼鸟的爪痕。

绣眼鸟将爪子嵌在花瓣上，吸食花蜜。

由鸟儿帮助运送花粉的花

寒绯樱与褐头凤鹛
（摄于中国台湾省）

梅花上的绣眼鸟

狐蝠的专属餐厅

这是冲绳的夜晚。豆科植物大果油麻藤的花密密麻麻地盛开在粗壮的藤上，低垂着。夜空中漂浮着酸酸的气味。这时，传来了窸窸窣窣的声音，是熟客光顾啦。

狐蝠掰开了硬挺的花瓣，正在舔舐着花蜜。

"啊，真不好意思，打扰了您的用餐。"

独特的花香是大果油麻藤发送给狐蝠的暗号。它发白的花瓣能在夜间变得显眼，而紫黑色的花瓣，则能在黄昏微亮的天空下，形成轮廓。

狐蝠掰开花朵吸食花蜜，这时雄蕊露了出来，把花粉扫在狐蝠的脸上。

蝙蝠家族里，有一些成员分布在热带和亚热带，以果实和花蜜为主要食物来源。这就是狐蝠。它们与以昆虫为主食的普通蝙蝠不同，不能发出超声波，面孔也更像狐狸。狐蝠的专属餐厅遍布全球，无一不是能提供充沛花蜜的花朵。

翡翠葛（菲律宾）

蜡烛树（中美）

龙舌兰（北美）

昙花（南美）

芭蕉

大果油麻藤

大果油麻藤是豆科藤本植物。花朵长度约为 5 厘米，有白绿色与紫黑色两种颜色。成串地开花，总状花序能达到 30 厘米长。

南方小岛的
餐厅

从冲绳本岛往东约 360 千米，
在一个四面环海的南方小岛上，
上演了一场小小的邂逅。
这是心叶大戟，是一种生长在
隆起的珊瑚礁岩石之间的植物。

心叶大戟的花径为 2~3 毫米，十分微小。
围绕在花朵周围的，是一只小小的、小小的陆寄居蟹。

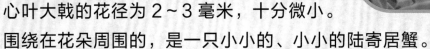

看呀，它正在用它小小的钳子舀起花蜜畅饮呢！这时候，钳子就沾上了花粉。这样的授粉方式叫作"利用寄居蟹作为花粉媒介[1]"，直到 2006 年才首次被发现。有的寄居蟹是住在细长的贝壳里的。蝇和蚂蚁也会光顾心叶大戟的花朵。

心叶大戟属于大戟科，这类植物的花朵看起来像是单独的一朵，其实是花朵的集合（被称为"杯状花序"）。看上去像是花瓣的白色部分，其实是叶片变成的苞片，而黄色的碗状物部分，则是蜜腺。

5 片苞片包围起来的中心部分，有 1 朵雌花（图片展示出已经结出果实）、只有 1 根高高突起的雄蕊的，是雄花。不论是雄花还是雌花，都没有花瓣，但是都靠着醒目的苞片和花蜜来吸引顾客。

蜜腺　苞片
雄花
雌花
蜜腺
新结出的种子

---

1 花粉媒介是指将花粉传递到雌蕊柱头，也称为传粉。

暖洋洋的餐厅

早春时节，杂木林里还是一幅冬天的景象，侧金盏花已经抢先一步盛开了。

它的花瓣接受了充足的日照，闪耀着金色的光芒。

花瓣形成卫星天线的形状，能将阳光集中到花朵的中心位置。

花朵的中心集中了阳光，就像一座座温泉。

蜂蝇和蝇都飞过来了。

昆虫们一边享用着花粉点心，一边取暖。

超级御寒暖房——臭菘

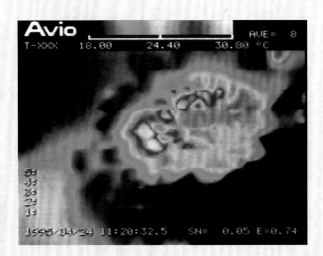

这是侧金盏花花瓣温度的热敏成像图。红色部分代表高温。从图片可以看出花朵的中心位置为黄色或红色，温度比外部高出差不多 10℃。侧金盏花随着日落而关门，阴天和雨天则歇业。

残雪中，臭菘探出了脑袋。它与开白色花朵的沼芋一样同属于南天星科，花朵为茶色且有臭味。

这种花因为能发热而闻名。它的花序[1]内部可以释放出热能。得益于这种功能，臭菘在雪地里也能成为一座座暖房，开门营业。小小的蝇们被臭味和暖气所吸引，聚集过来，帮助花朵搬运花粉。

在残雪中探出脑袋。

外部气温是 0.5℃。

佛焰苞内的温度是 13.8℃。

佛焰苞打开后内部温度是 6.2℃。

当日气温为 0.5℃，臭菘的花朵冒寒绽放。但是花朵上几乎紧闭着的佛焰苞[2]的内部，温度达到了 13.8℃。这时候，雌蕊已经成熟了。佛焰苞打开后，花序与外界空气一接触，表面温度就会下降到 6.2℃。这时候，雄蕊已经成熟了，会产生花粉。

光顾臭菘花朵的蝇的背上，已经沾上了白色的花粉。

* 不论动物还是植物，当体内的生命活动活跃的时候，都能释放热能。

---

1 花序是指花朵依照固定的方式排列。　　2 佛焰苞是天南星科植物特有的，包裹花序的头巾状的苞片。　　臭菘照片和数据提供 / 田中肇

卖油的餐厅

我们前面接触到的客人，都是冲着花蜜和花粉来了。当然，有些顾客的目标并不在此。这是盛开的毛黄连花。

如果窥探花朵雄蕊的根部，就会发现闪闪发光的金色颗粒物！其实这是毛黄连花特制的油脂颗粒。

将许多油脂颗粒采集到脚上，飞起来会显得笨重。

其实，这种花与一位珍贵的客人达成了特别的协议。这位客人就是宽痣蜂。它不停地收集油脂颗粒，将其附着在后脚上。宽痣蜂会将收集到的油脂颗粒涂在蜂巢的内部，并将其混合花粉做成丸子，喂食幼虫。

这种花从某种角度来说，
是卖油的加油站吧？

泽兰和山佩兰（俗称"白头婆"，下同）的花朵上，聚集着大绢斑蝶。雄性大绢斑蝶的目标不止是花蜜，还有一种被称为吡咯里西啶类生物碱的有毒成分。

雄性大绢斑蝶会以此为原料，制造性激素[1]，吸引雌性。

1 性激素是指动物为了吸引同类的异性而产生的化学物质。　宽痣蜂照片提供 / 田中肇

陷阱重重的餐厅

下图中的植物是天南星，它的花朵样子很奇特。它那被称为佛焰苞的苞片里，伸出了一根长长的线。

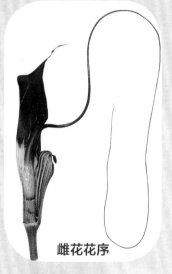

雌花花序

如果把苞片切掉，可以看到形同玉米的花序（花的集合）。这一朵一朵的花，是没有花蜜和花瓣的。左图中是雌花的花序，绿色的雌花整齐地排列着。在花序上方的"附属物"顶端，有一根线状物。这其实是用来释放气味，招揽昆虫光临的招牌。

雄花花序

这是雄花的花序。雄蕊能产生花粉。雄花的苞片下方会稍微突起，形成一个小小的缝隙（见箭头所指位置）。被气味吸引过来进入雄花苞片的昆虫，会在全身沾满花粉后，从缝隙中飞出。

雌花的花序内部

细齿南星的雄株

身上沾满花粉的昆虫，如果飞向雌花的苞片的话……

雌花的苞片是没有缝隙的。昆虫会把花粉传递到雌蕊上，然后迷失在苞片内，最终死去。而此时，天南星完成了授粉任务，雌花会结出果实。

天南星大家族的成员，无一不是顶着奇特的造型。

不同的天南星，它的苞片的形状各不相同，但是从外表看，都是无法区分雄花或雌花的。

左图中的是细齿南星。仔细查看它的苞片下部，如果有缝隙，就说明是雄花；如果没有缝隙，就是雌花了。

如果你往佛焰苞内窥探的话，说不定能发现昆虫……

这是在雌花苞片内死掉的各种菇蝇。它们主要在菌类植物上产卵，幼虫食用菌类植物。

天南星大家族

全缘灯台莲

普陀南星

波缘天南星

骏河天南星。从雌花花序的上方朝内窥探，可以看到很多菇蝇进入到里面。

在有着多家鲜花餐厅的大街上，其实也存在着可疑的密道。在树林下方悄悄开放的花朵，也是有密道的餐厅哦。

多摩细辛的花朵是紧贴着地面开放的。在花朵的内部，覆盖了一层细密的褶子，散发出煤气般的气味。

有密道的餐厅

在树林下方生长的多摩细辛

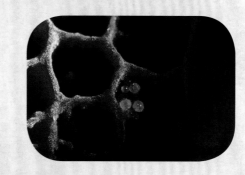

在花朵的内侧，我们发现了虫卵。这是菇蝇的卵。但是，这些卵无法孵化，会直接腐烂掉。

这是羊肚菌。羊肚菌生长的时候恰好是多摩细辛开花的时候。不觉得它们的褶子形状看起来很像吗？菇蝇就是被多摩细辛花朵所欺骗，才在这里产卵的。

菇蝇卵·蜘蛛抱蛋·菇蝇照片提供／田中肇；天麻照片提供／和田求司

这是公园里常种植的蜘蛛抱蛋的花。紧贴地面开放的花朵，无论是颜色还是大小，都和多摩细辛很相似。

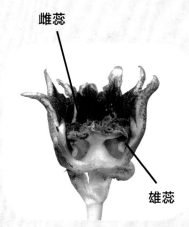

雌蕊

雄蕊

这是蜘蛛抱蛋花的横切面。

花朵的入口被大大的雌蕊拦住了。

雄蕊则生长在雌蕊的背面。

好像有谁进来了，小小的、不容易被发现。从花瓣与雌蕊之间狭小的空隙里进入，到达雄蕊早就静静地在等候的空洞里……

终于发现昆虫啦！这是一对正在交尾的菇蝇。它们的身上，沾上了白色的花粉。这是曾进入到花朵内部的证据。帮助蜘蛛抱蛋传送花粉的，是菇蝇。

除此之外，还有其他的菇蝇媒花[1]和猩猩蝇媒花

唢呐草和本书第 40 页的天南星，都属于菇蝇媒花。

三河唢呐草

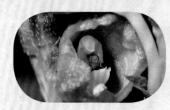

光临天麻花朵的猩猩蝇

天麻把进入花朵的猩猩蝇压住，强行让猩猩蝇帮助搬运花粉块。

---

1 媒花是指花粉的主要传输方式。虫媒花是指主要以昆虫为媒介传播花粉的花。

山寨餐厅？！

在深秋时节的湿草地上，梅花草正值盛花期。

清秀[1]的白色花朵搭配可爱的心形叶片。

这花朵很容易让人联想到皇冠头饰[2]。

到底哪个才是雄蕊呢？在花朵初绽时，雄蕊是集中在花朵的中心的，然后随着开放进程一根一根地次第展开，就像图中所示（见右上图）。雄蕊上闪闪发光的颗粒物，其实是山寨花蜜。

1 清秀是指清爽秀丽的样子。　2 皇冠头饰是指用宝石等物装饰而成的头饰。

真正的花蜜，其实藏在闪闪发光的颗粒物的下部。花蜜会从黄绿色的扇形部分产出。但是，蜂和蝇总是会被闪闪发光的山寨花蜜所蒙骗，来到可爱的花朵上，不断地舔舐。

白耳菜

与梅花草同科同属的植物。花瓣边缘深裂成丝状。虽然它闪闪发光的颗粒物稍微少了些，但看上去还是很像花蜜和雄蕊，能吸引昆虫光顾。

鸭跖草

有 3 根雄蕊，为鲜艳的黄色，而且较大，很显眼，但其实不能产生花粉，只是一种装饰。

糙子人字果

毛茛科植物，白色、尖端浑圆的是雄蕊。黄色的是从花瓣变化而成的，是一种装饰，同时也兼具蜜腺的功能。

日本油点草

百合科的油点草（见第 20 页）的同类，雌蕊上有闪闪发光的颗粒物。这是招揽昆虫的山寨花蜜。

可怕的餐厅

这是生长在乡间的藤本植物——萝藦。
可爱的花朵里，有充沛的花蜜。

客人们正在沉浸在美食之中。

但是这间鲜花餐厅，会让昆虫们在将口器伸进花朵内的时候，"吧唧"沾上花粉块[1]。

口器沾上花粉块的竹斑蛾（一种蛾）

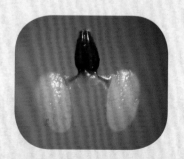

黄色的部分是花粉块，中间茶色的部分是夹子。

茶色的部分是夹子，可以夹住昆虫的毛或口器。
我们将光顾花朵的昆虫捉住，看看它是否沾有花粉块。

1 花粉块常见于兰科和萝藦属植物，有利于将花粉成块传送。

土蜂的下颚上，大概有 4 个花粉块。

花蜂。都这样了应该没办法再吸食花蜜了！

虎丸花蜂的口器上沾了 7 个花粉块。

弄蝶的吸管上也有花粉块。

小小的金花虫在美食当前迷失了自我，成了这个样子。

萝藦花朵上有裂缝状的凹陷，这里会产出花蜜。裂缝的上部，也就是箭头所指位置，隐藏着夹子。

如果昆虫的嘴巴被夹住，或是脚不慎落入裂缝，要想拔出来的话，就会被逐渐变窄的凹陷夹住，再用力的话，就会沾上花粉块。

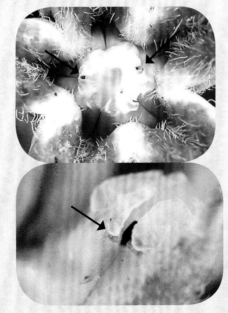

藏在裂缝顶端的夹子

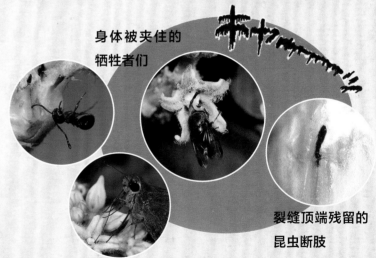

身体被夹住的牺牲者们

裂缝顶端残留的昆虫断肢

有的昆虫被裂缝夹住而死亡，也有的昆虫想要逃脱却被揪掉了脚或嘴巴。
萝藦，真是一间可怕的餐厅啊。

朴实无华的餐厅

早春的使者——细柱柳，就像一条柔软的毛毯，让人觉得温暖舒适。

软毛们用心地守护着小小的花朵，集合而成花穗。雄蕊探出了脑袋。

但是，这样的花朵既没有花瓣也没有香味。客人们会光顾吗？

一只意大利蜜蜂飞过来了。

它辛勤地采集花粉，看，它脚上的花粉篮子，已经满满当当了。

细柱柳的雄花

雌花的花穗就更加朴素了，但是，在雌蕊的根部，美味的花蜜正在闪耀着光芒。雌蕊挺直了腰杆，期盼着昆虫们运送花粉而来。

这是一间朴实无华但有趣的餐厅，看上去客人也不少呢。

细柱柳的雄花

细柱柳的雌花

花蜂

黑带食蚜蝇

各种各样的朴实餐厅

日本黄杨花序中间的是雌花，四周的是雄花。

牛膝与蓝灰蝶。牛膝的花朵乍看之下全为绿色，但是在能看见紫外线的昆虫眼里，花朵的中心是发着光的。

紫葛葡萄的雌花

紫葛葡萄的雄花与伪叶甲

日本花椒的雌花

日本花椒的雄花与小小的蝇

风媒花也可以开餐厅吗？！

依靠风来传播花粉的风媒花，看上去大多朴素不起眼。因为它们本来就不需要吸引昆虫们的注意。

但是，只要昆虫们寻觅到美食，肯定要据为己有呀。即使对方是没有花瓣、没有花蜜，也没有香味的风媒花。

这是正在采集稻子花粉的花蜂。它的身上沾满了花粉，还有一些掉落了。昆虫们也参与到花粉搬运的工作中了呢。

这是采集葎草花粉的日本蜜蜂。虽说是朴素的风媒花，但是它丰沛的花粉可导致人们被花粉症困扰。聪明的蜜蜂自然是不会错过它的。

車前草依靠风传播花粉。

昆虫们正在采集车前草的花粉。

身体沾上花粉的昆虫只要来回爬动，就能帮助雌蕊完成授粉了吧。

车前草的祖先其实是虫媒花。

但是，随着逐渐把家搬到通风良好的草原，车前草改变为利用风来把花粉传送给同类，于是花瓣变得越来越不明显，也不再产生花蜜，最终，花朵变成了不起眼的样子。

葎草的雌花正在等待花粉。但是，没有花粉也没有花蜜的雌花是不会有蜜蜂光顾的。果然，只能等待起风了吧。

车前草和黑带食蚜蝇

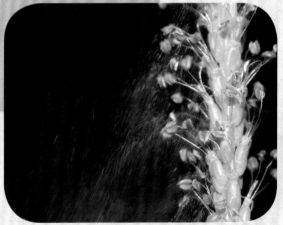

借助风力传播花粉的车前草

到底是要借助风力，还是利用昆虫呢？

不论植物还是昆虫，都懂得根据周围的状况或环境来灵活选择。

如果鲜花餐厅一直没有顾客光临……

空地上盛开着荠和阿拉伯婆婆纳。早春时节，光顾这些杂草小花的昆虫，还不是很多。

"昆虫们不来的话，也没关系吗？"

荠的雄蕊和雌蕊碰触到一起了。
在同一朵花中，雄蕊正在向雌蕊授粉。

碰！

鹅肠菜

碰！

阿拉伯婆婆纳

碰！

马齿苋

这样的"自花授粉[1]"现象，常见于杂草类的花。这样的话，即使是昆虫罕至的空地，或是一年生植物短暂的一生里，都能确保留下种子。

1 自花授粉是指在同一朵花或同一植株上进行授粉的行为。

白天凋谢的鸭跖草，也可以独自结籽。

临近天亮的时候，雄蕊和雌蕊会交缠在一起，雄蕊把花粉传给雌蕊。

"这是不是就意味着，不需要招揽昆虫们啦？"

但是呢，偶尔还是会有昆虫造访，帮忙将别的植株的花粉搬运过来。这样的话，就能产生拥有各种性质的种子，并进行散播。

即使环境变化，或者植株自身受到病害或虫害的侵扰，拥有各种性质的子孙们，一定能够继续存活下去的。

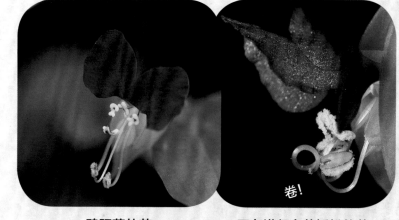

鸭跖草的花　　　　　正在进行自花授粉的花

卷！

马齿苋与蓝灰蝶

所以，杂草的小花们，依然要盛装营业，用美味的花蜜吸引昆虫们光顾。"欢迎光临！"

鹅肠菜与黑带食蚜蝇

荠与黑带食蚜蝇

鸭跖草与花蜂

阿拉伯婆婆纳与双星食蚜蝇

可食用花朵[1] 餐厅

隆重开张的餐厅，迎来了客人。

"哎呀，你这是在吃花瓣吗？！"

正在啃食蓉葵花朵的异丽金龟

关东蒲公英与螽斯的若虫

北美刺龙葵与豆金龟

琉璃白檀与后白斑蛾的幼虫

哎……你们也在吃花瓣吗？！

柔毛打碗花与黑色小瓢虫

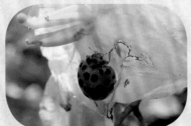

北美刺龙葵与二十八星瓢虫

54　　1 可食用花朵是指可直接食用的花朵。

还有吸食汁液的昆虫们。

小小的蓟马们，也会吸食花朵的汁液和花粉。

长管萱草与印度修尾蚜

美洲商陆与某种缘蝽的幼虫

莲花

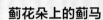

食用早春旌节花花朵的栗耳短脚鹎

蓟花朵上的蓟马

栗耳短脚鹎也会食用花朵。
"啊呜啊呜"——"真好吃呀！"

搬运花粉的蓟马

蓟马的体长仅有 1~2 毫米。虽说是吸食花朵和花粉汁液的"害虫"，却也能偶尔帮助传粉。对于及已这种植物来说，蓟马是帮助传粉的主力军。

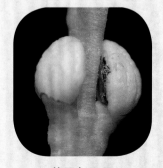
蓟马与及已

"蓟花朵上的蓟马"照片提供 / 筒井学；"蓟马与及已"照片提供 / 田中肇

在花上等待和进餐

热闹的鲜花餐厅中，也聚集着不以鲜花为目的的不速之客。

在黄鹌菜花朵上等待雌性的雄性蝎蛉。雄性蝎蛉具有将猎获物作为礼品献给雌性的行为，非常有趣。

为了追求雌性而在花朵上静静等待的雄性昆虫们

蜡莲绣球的花朵，是四纹花天牛约会的好地方。

埋伏在亚洲络石花朵上的角红蟹蛛

胡蜂瞄准了山佩兰花朵上的猎物。

多斑草蛉幼虫在白花败酱花朵上静待猎物。它利用大大的颚捕食小虫。它还会把残屑附着在背上，伪装自己，以免受到天敌侵犯。

捕食光顾花朵的昆虫的猎手们

看吧，你心里装着美食，疏忽大意的话，就会变成别人的美食。

下图是宿根植物荞麦花朵上的一幕。如果沉醉在美食当中的话，就危险了，一定要当心呀！

广斧螳

咔！

啊，我都提醒过你要当心了。

芜菁（俗称"地胆"，下同）的幼虫也在花朵上等着。只要姬花蜂落在花朵上，伺机而动的地胆幼虫就会在第一时间抓紧它不放。如果顺利附着的话，就可以随着姬花蜂回到它们的巢穴里。随后，地胆的幼虫就会在巢穴里安家，食用从卵里孵化出来的姬花蜂幼虫，还有花粉丸子等。

毛连菜花朵上的地胆幼虫

地胆的成虫

花粉丸子上的地胆第一龄幼虫[1]，体长约 1 毫米，头部浑圆。

在苦瓜的花朵上，一只角红蟹蛛擒获了一只意大利蜜蜂。

幼年雨蛙在蜡莲绣球花朵上等待猎物。

"今天的鲜花餐厅，依然充满惊险刺激啊！"

---

1 第一龄幼虫是指刚从卵孵化出来到第一次蜕皮以前的幼虫。　　"毛连菜花朵上的地胆幼虫"照片提供/馆野鸿

双子座餐厅

照片上的是丸花蜂家族的虎丸花蜂

"嗡嗡嗡……"

丸花蜂飞过来了。

它抱住了报春花的花朵。受到丸花蜂重量的影响，花朵一下子就垂下来了。

报春花是一种美丽的野花。以前常见于明亮的树林和江河岸边，但是现在，野生报春花的数量已经少了很多。我听说一座深山里有盛开的报春花，便前往探寻。

丸花蜂长长的口器刚好能伸进报春花又细又长的花冠管，就像是量身打造一般。花儿们已经等待丸花蜂们许久啦。丸花蜂对报春花来说，是无可替代的合作伙伴。

报春花的花朵可以分为两种类型：中心看起来像锯齿的（短花柱花）和像大头针针头那样看起来圆润的（长花柱花）（花瓣的形态依品种而略有不同）。

短花柱花 　　　　　　　　　　　　　　　　长花柱花

如果我们将花朵切开就会发现，锯齿状的其实是雄蕊，而像大头针针头的是雌蕊。有的花雄蕊的位置高于雌蕊，而有的正好相反。

同种类型的花朵之间的授粉行为是无法结出种子的。只有在不同类型的花朵之间交换花粉，才能结出种子。得益于这种机制，才能繁衍出更多样化的后代。

左边是短花柱花，右边是长花柱花。

丸花蜂在吸食完花蜜后，会将口器拔出，这时候，就能看到附着报春花花粉在它的口器的不同位置。通过将花粉附着在丸花蜂的口器的不同位置，报春花就能顺利地进行不同类型花朵之间的花粉交换了。

附着在丸花蜂口器上的花粉

依据雄蕊和雌蕊的高低，还有哪些花朵可分为两个类型呢？

欧报春也是报春花家族的成员，也具有两种类型的花朵。

短花柱花 　　　长花柱花

作为作物的荞麦也有两种类型的花朵。

雌蕊位置高于雄蕊位置（左上图）。
雄蕊位置高于雌蕊位置（右上图）。

不可思议的谜之餐厅

在我们身边的大自然里，藏着许多
不可思议的谜团。

哎呀？
蚂蚁？

草本植物叶下珠的花朵。运输花粉的是谁呢？

毛茸茸的毛就像
项链一样？！

花坛里盛开的紫露草。
我们不妨看一看它在
放大镜下的样子吧？

形同吊钟的
可爱小花。

深山里盛开的腺齿越橘
花朵，是丸花蜂的餐厅。

丸花蜂们，会像这样仰望腺
齿越橘的花朵吗？

我是花蜂。

哎呀呀，到底是谁把花粉撒落得到处都是呢？

虎耳草的花朵。是你设计出来的吗？

底下的两片花瓣为何特别长呢？

东方胡麻花

来到早春的花朵上的，是谁呢？

是大蜂虻。

伏生紫堇

撒呀撒。

天竺葵

请大家都到花朵上来吧。

独活

深蓝鼠尾草

这是采蜜大盗。

是我，我是小丸花蜂！

蓝盆花

木蜂先生，你在做什么呢？

鲜花餐厅，今天也在营业中！

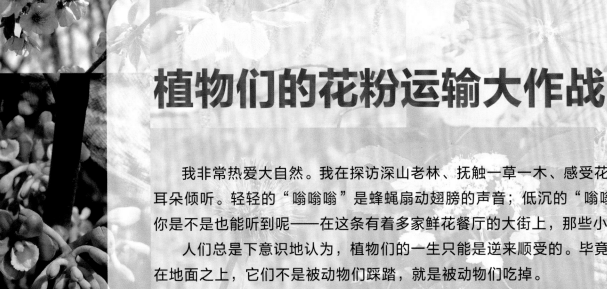

植物们的花粉运输大作战

花朵们不仅仅颜值高，它们每天上演着不可思议的戏剧，还有着各种各样的套路！

　　我非常热爱大自然。我在探访深山老林、抚触一草一木、感受花朵与叶片的清香的时候，会一边竖起耳朵倾听。轻轻的"嗡嗡嗡"是蜂蝇扇动翅膀的声音；低沉的"嗡嗡嗡"是丸花蜂。让我们轻闭双眼吧。你是不是也能听到呢——在这条有着多家鲜花餐厅的大街上，那些小小的喧闹声？

　　人们总是下意识地认为，植物们的一生只能是逆来顺受的。毕竟植物不能随心移动，只能一直被束缚在地面之上，它们不是被动物们踩踏，就是被动物们吃掉。

　　但是，即使是这样的植物，实际上也有着两次旅行经历。

　　首次旅行是在种子的时候。种子擅长利用风、水流和动物，到达新的地方。实际上，种子并不局限于空间的移动，它既耐寒暑、也耐干燥，还能轻松跨越不适合生长的季节。种子，是植物们的时空移动胶囊。

　　另一次旅行是在开花的时候，也就是在植物们"喜结连理"的时候进行的。从雄蕊产生的花粉，移动到雌蕊的根部，经过受精，发育成了种子。是的，本书为读者朋友们所呈现的，就是围绕着"花粉运输大作战"展开的，以花朵与昆虫们为主角上演的一出出戏。

　　顺带说一下，花粉们是像粉一样的小颗粒，但是在显微镜下，竟意想不到的好看。就像是宝石一样，不同花的花粉形态各异（如第 28 页的月见草，已知它的花粉是三角形的）。

　　那么，花粉是如何运输的呢？利用风力作为传粉媒介的花叫作"风媒花"。因为对象是风，那么就不需要花费心思来装饰自己和招揽昆虫，风媒花们无一不是朴实的面孔，既没有引人注目的花瓣，也没有好闻的气味。虽说不需要精心装扮这一点很好，很经济实用，但是花粉的终点只能看风的心情。

以昆虫为媒介进行传粉的花叫作"虫媒花"。怎样才能招引到昆虫呢？这离不开虫媒花提供的美味。负责宣传的是漂亮的花瓣与能唤起食欲的花香。虽然既要提供伙食，还要精心打扮，成本确实比较高，但是昆虫会在花朵之间移动，就能大大地提高花粉运送到雌蕊的概率了。

在本书中，将花朵与昆虫之间的关系，比喻成餐厅与客人。花朵提供的盛宴就是花蜜与花粉。昆虫以帮助传粉作为支付手段。如同在人类世界里的餐厅，有家庭餐厅和特色餐厅等，鲜花餐厅也是一样。既有来者不拒的家庭鲜花餐厅，也有只服务某类特定客人的，还有花色、花形各异，争奇斗艳的鲜花餐厅。花朵的颜色和形状，与招揽来的昆虫的种类密不可分。除此之外，还有些花朵视鸟类、狐蝠、寄居蟹等为客人。花色、花形的多样化，其实是花朵与昆虫之间关系的多样化的体现。另外，还有"欺骗"昆虫搬运花粉的"山寨餐厅"和设置了暗道的餐厅。这样看来，植物决不是逆来顺受的角色。它们有时还能凌驾于昆虫与动物之上，绝非"省油的灯"。

在大自然中，植物与昆虫种类繁多，其中有许多花的生态不为人知。在你身边的植物中，也许也藏着能让你大吃一惊的、不可思议的秘密。

话说回来，看到花朵，你会不会惊讶于它们精巧的构造，以至于认为植物是拥有智慧的生物呢？真相是——植物既不会思考，也没有感情。植物的生存方式与动物是截然不同的。花的多样形态与构造，不过是伴随着与昆虫、鸟类等生物之间产生密不可分的关系，而一同发生进化的"共同进化"的结果。这么一想的话，进化、生物，真是不可思议啊！

多田多惠子

多田多惠子

博物学家，植物生态学者。出生于日本东京都，获得东京大学研究生院理学博士学位，是立教大学、国际东京农工大学等大学的外聘讲师。作为一名生态学者，她广泛调查植物的繁殖策略、昆虫和植物的相互关系等。著有《发现身边植物！种子的智慧》《图鉴 NEO 花》《常见植物的果实和种子图鉴 & 采集指南》《野外花卉生态图鉴》《令人惊讶的松果》等图书。此外还担任 NHK《儿童科学电话咨询》节目的植物学老师。

图书在版编目（CIP）数据

欢迎光临花餐厅 /（日）多田多惠子著；光合作用译 . —长沙：湖南科学技术出版社，2021.12
（自然侦探团）
ISBN 978-7-5710-0962-5

Ⅰ . ①欢…　Ⅱ . ①多… ②光…　Ⅲ . ①花卉—少儿读物　Ⅳ . ① S68-49

中国版本图书馆 CIP 数据核字（2021）第 076340 号

YOUKOSO! HANA NO RESTAURANTS / Welcome to Flower Restaurant
© TAEKO TADA 2017
Photographically co-operated by AKIRA UEHARA, YUSHI OSAWA, HIROSHI TATENO, MANABU TSUTSUI, WAIWAI-GAKKO (NORIKO KANEKO, SUGATAKO KAWAUCHINO, OSAMU KITAMURA, CHIYOKO TSUTSUI, TAKAHISA HIRANO, MASAKO YAOI, KYUJI WADA), and especially HAJIME TANAKA.
Originally published in Japan in 2017 by SHONEN SHASHIN SHIMBUNSHA, INC.
Chinese (Simplified Character only) translation rights arranged with
SHONEN SHASHIN SHIMBUNSHA, INC.
through TOHAN CORPORATION, TOKYO.

中文简体字版由日本株式会社少年写真新闻社独家授权

HUANYING GUANGLIN HUACANTING

欢迎光临花餐厅

著　　者：［日］多田多惠子
译　　者：光合作用
出 版 人：潘晓山
责任编辑：李　霞　姜　岚　杨　旻
封面设计：有象文化
责任美编：谢　颖
出版发行：湖南科学技术出版社
社　　址：长沙市湘雅路 276 号
网　　址：http://www.hnstp.com
湖南科学技术出版社天猫旗舰店网址：
　　　　　http://hnkjcbs.tmall.com
邮购联系：本社直销科 0731-84375808

印　　刷：长沙市雅高彩印有限公司
　　　　　（印装质量问题请直接与本厂联系）
厂　　址：长沙市开福区中青路1255号
邮　　编：410153
版　　次：2021 年 12 月第 1 版
印　　次：2021 年 12 月第 1 次印刷
开　　本：787mm×1092mm　1/16
印　　张：4.5
字　　数：56 千字
书　　号：ISBN 978-7-5710-0962-5
定　　价：38.00 元
（版权所有·翻印必究）

本书出现的植物的索引

鲜花餐厅的熟客